JEFF KINNEY'NİN DİĞER KİTAPLARI

Çeviri: İlker Akın

Wimpy Kid

SAFTİRİK

Kendin Yap Kitabı

Jeff Kinney

BURAYA RESMİNİ

YAPIŞTIR

↓

ⓔpsilon®

SAFTİRİK Greg'in Günlüğü
KENDİN YAP

Orijinal Adı: Diary Of A Wimpy Kid / Do It Yourself Book
Yazarı: Jeff Kinney
Genel Yayın Yönetmeni: Meltem Erkmen
Çeviri: İlker Akın
Düzenleme: Gülen Işık
Düzelti: Fahrettin Levent
Kapak Uygulama: Berna Özbek Keleş

18. Baskı: Mart 2016

ISBN: 978 9944 82-271-8

Kitap Tasarım: Jeff Kinney
Kapak Tasarım: Chad W. Berkerman ve Jeff Kinney
İngilizce ilk baskı: 2008 (Amulet Books - Imprint ouf Abrams,
© Epsilon Yayıncılık Hizmetleri Tic. San. Ltd. Şti.

Baskı ve Cilt: Mimoza Matbaacılık
Davutpaşa Cad. No: 123 Kat: 1-3 Topkapı-İst
Tel: (0212) 482 99 10 (pbx)
Fax: (0212) 482 99 78
Sertifika No: 33198

Yayımlayan:
Epsilon Yayıncılık Hizmetleri Tic. San. Ltd. Şti.
Osmanlı Sk. Osmanlı İş Merkezi No: 18 / 4-5 Taksim/İstanbul
Tel: 0212.252 38 21 pbx Faks: 252 63 98
İnternet adresi: www.epsilonyayinevi.com
e-mail: epsilon@epsilonyayinevi.com

BU KİTAP LARA AİTTİR.

LARA Tuncer

EĞER BİR YERDE BULURSANIZ, LÜTFEN ŞU
ADRESE İADE EDİN:

21 Lanark rd 1 de
29

(ÖDÜL YOK)

Bununla n'apacaksın?

Tamam, bu kitap artık senin; bu yüzden teknik olarak onunla ne istersen yapabilirsin.

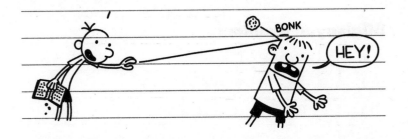

Ama eğer bu günlüğe bir şeyler yazarsan, ona iyi sahip çık. Çünkü günün birinde, insanlara bir zamanlar nasıl bir çocuk olduğunu göstermek isteyeceksin.

Ne yaparsan yap, sakın buraya "duygularını" yazma. Çünkü kesin olan bir şey var: Bu bir anı defteri DEĞİL!

Issız bir ADAYA giderken

Hayatının geri kalanını ıssız bir adada geçirecek olsan, yanına neler alırdın?

Bilgisayar Oyunları
1. Mincraft
2. Dragon land
3. Candy crash

Şarkılar
1. Justin bieber
2. J Adele
3. Mr.probz

yanına alınacaklar

Kitaplar
1. Jaquline Wilson
2. Daisy Medows
3. Cinderella

Filmler
1. barbie
2. Frozen
3. Auvrora/sleeping beaty

Acaba

Saçını okula gidemeyecek kadar kötü
kestirdiğin oldu mu?

EVET ☒ HAYIR ☐

Bir yetişkine güneş yağı sürdüğün oldu mu?

EVET ☒ HAYIR ☐

Bir hayvan tarafından ısırıldın mı?	Bir insan tarafından ısırıldın mı?
EVET ☐	EVET ☒
HAYIR ☒	HAYIR ☐

Ağzın kuru üzümle doluyken balon yapmaya
çalıştın mı?

EVET ☐ HAYIR ☒

HİÇ...

Yüzme havuzunda işedin mi?

EVET ☒ HAYIR ☐

Yaşı yetmişten fazla bir akraba tarafından dudaklarından öpüldün mü?

EVET ☒ HAYIR ☐

Arkadaşlarından birinin annesi tarafından eve erken gönderildin mi?

EVET ☐ HAYIR ☒

Bebek bezi değiştirdin mi?

BİRAZCIK YARDIM?

EVET ☐ HAYIR ☒

KİŞİLİK

En sevdiğin HAYVAN hangisidir?

Kedi

O hayvanı sevmene neden olan 4 SIFAT yaz.
(ÖRNEK: DOST CANLISI, HAVALI VB.)

Yumuşak · Dost
Sarılıyorlar · Mır.Mır

En sevdiğin RENK hangisidir?

pembe

O rengi sevmene neden olan 4 SIFAT yaz.
(ÖRNEK: DOST CANLISI, HAVALI VB.)

parlak · mutlu
güzel · barbie seviyor

En sevdiğin RENK ile ilgili yazdığın sıfatlar, BAŞKA İNSAN-LARIN SENİNLE İLGİLİ DÜŞÜNCELERİNİ tanımlar.

En sevdiğin HAYVAN ile ilgili yazdığın sıfatlar, KENDİNLE İL-GİLİ DÜŞÜNCELERİNİ tanımlar.

TESTİ

Okuduğun son KİTABIN adı neydi?

pranses Kitap

O kitapla ilgili düşüncelerini anlatan 4 SIFAT yaz.

asil   güzel
Dost   heycanli

En sevdiğin FİLM hangisi?

barbie

O filmi neden sevdiğini anlatan 4 SIFAT yaz.

Rexyting   Kool
special   funny

NASIL OLACAĞINI tanımlar.
En sevdiğin FİLM ile ilgili yazdığın sıfatlar, otuz yıl sonra

KINDAKİ DÜŞÜNCELERİNI tanımlar.
Okuduğun son KİTAP ile ilgili yazdığın sıfatlar OKUL HAK-

Yarım kalmış

Annecim, Olamaz!

KARİKATÜRLER

Annecim, Olamaz!

Kendin

KARİKATÜR
çiz

BEYNINDE

neler var?

GELECEĞİ

SÖYLEDİM BİLE!

AY, SIÇANLAR!

Bence bundan yirmi yıl sonra arabalar benzinle değil, hidrojen ile çalışacak. Bir hamburgerin fiyatı 15 sinema bileti fiyatı 20 olacak. Evcil hayvanların kendi mamaları 'ları olacak. İç çamaşırları ŞAPKAX 'ndan yapılacak. gözlük artık olmayacak. LARA adında bir ÇOÇUK cumhurbaşkanı olacak. İnsandan çok Kedi olacak.

En sinir bozucu slogan şu olacak:

dünya kardeş tir savaş olmayacak

OKİ DOKİ N'ABER KANKİ?

KİKKİRİKİKKKİK N'OLSUN MORUK İYİLİK!

öngörmek

Uzaylılar 2040 yılında gezegenimizi ziyaret edecekler ve şu duyuruyu yapacaklar:

hey cuçuk cıslar dedeyi rasıs et meo

BROKOLİ ASLA YENMEMELİDİR

BİLİYORDUM!

Bundan yirmi yıl sonra yaşlı bir insanın cinlerini tepesine çıkaracak bir numaralı şey şu olacak:

uşay rokedi, uşay oğodar,

HAY BEN BU CİMCEMLERİ İCAT EDENİN!

VIRRRRRR

GELECEĞİ

ELLİ YIL İÇİNDE:

Robotlarla insanlar üstünlük savaşına girecek.

EVET ☐ HAYIR ☒

Anne babaların çocuklarının beş metre yakınında dans etmesi yasak olacak.

EVET ☐ HAYIR ☒

İnsanların kafalarına anında mesaj gönderen çipler takılacak. EVET ☐ HAYIR ☒

öngörmek

GELECEĞE YÖNELİK BEŞ ÖNGÖRÜN

1. Abla olcam

2. İş yapıcam

3. Cocuğum olcak

4. evolancam

5. guzel cig olcam

(HER ŞEYİ YAZ Kİ İLERİDE
ARKADAŞLARINA 'BEN SİZE
SÖYLEMİŞTİM' DİYEBİLESİN.)

KENDi gelecegini

Şu sorulara cevap ver, sonra bir yetişkin olduğunda geriye dönüp bunlara bak ve ne kadarını gerçekleştirdiğini gör!

30 YAŞIMA GELDİĞİMDE

Şu andaki evimden **30** kilometre uzakta yaşayacağım.

EVLİ ☒   BEKAR ☐ olacağım

2 çocuğum olacak ve adları **Rose** ile **Natalia** olacak.

popstar olarak çalışacağım ve yılda **7,000** kazanacağım

dağ 'da bir **büyük** evde yaşayacağım

Her gün işe bir **makina** götüreceğim.

öngörmek

175 boyunda olacağım.

Saç şeklim şimdikiyle aynı olacak.
DOĞRU ☐ YANLIŞ ☒

Şu andaki en iyi arkadaşım o zaman da en iyi arkadaşım olacak. DOĞRU ☒ YANLIŞ ☐

Mükemmel görüneceğim
DOĞRU ☐ YANLIŞ ☒

Yine şimdi dinlediğim türde müzik dinleyeceğim
DOĞRU ☐ YANLIŞ ☒

10 farklı ülkeyi ziyaret etmiş olacağım.

Yaşadığım en büyük değişiklik uslu

olacam olacak.

KENDİ geleceğini

Burada temel olarak yapman gereken, bir zarı tekrar tekrar atmak ve denk geldiği maddelerin üzerini çizmek. Şöyle:

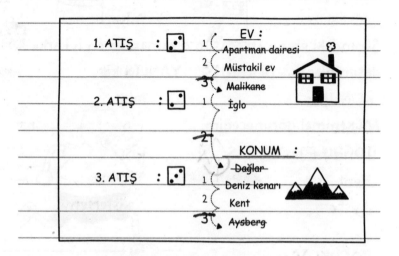

Listenin üzerinden geçmeye devam et ve sona geldiğinde yeniden başa atla. Bir kategoride tek bir madde kaldığında, bunu daire içine al. Her kategoride bir maddeyi daire içine aldığında, geleceğini bileceksin! İyi şanslar!

öngörmek

EV:

Apartman dairesi

~~Müstakil ev~~

Malikane

İglo

KONUM:

Dağlar

~~Deniz kenarı~~

Kent

Aysberg

ÇOCUKLAR:

~~Hiç~~

Bir

~~İki~~

On

EVCİL HAYVAN:

Köpek

~~Kedi~~

Kuş

Kaplumbağa

MESLEK:

Doktor

~~Aktör~~

Palyaço

Tamirci

Avukat

Pilot

Profesyonel sporcu

Dişçi

Sihirbaz

Ne istersen

TAŞIT:

~~Araba~~

Motosiklet

Helikopter

Kaykay

MAAŞ:

Yıllık 100 dolar

Yıllık 100.000 dolar

Yıllık 1 milyon dolar

~~Yıllık 100 milyon dolar~~

HAYALİNDEKİ

GREG HEFFLEY'NİN GELECEKTEKİ EVİ

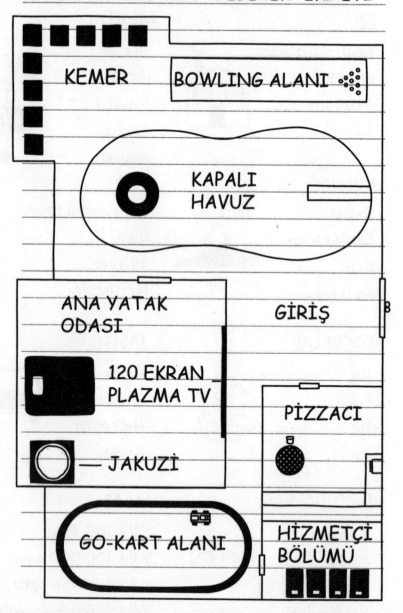

KEMER

BOWLING ALANI

KAPALI HAVUZ

ANA YATAK ODASI

GİRİŞ

120 EKRAN PLAZMA TV

PİZZACI

— JAKUZİ

GO-KART ALANI

HİZMETÇİ BÖLÜMÜ

Evi tasarla

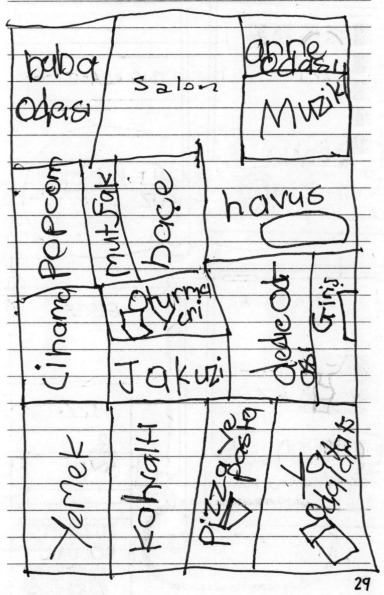

ÖDÜLLÜ

Nana

SINIFTA UYUYAKALMA
OLASILIĞI EN YÜKSEK

Nana

KAN GÖRÜNCE BAYILMA
OLASILIĞI EN YÜKSEK

camron

MİLYARDER OLMA
OLASILIĞI EN YÜKSEK

hayır

TELEVİZYONDA MAGAZİN
PROGRAMINA ÇIKMA
OLASILIĞI EN YÜKSEK

30

ARKADAŞLAR

Nana
BAŞBAKAN OLMA
OLASILIĞI EN YÜKSEK

Nand
OKULA YANLIŞLIKLA
PİJAMAYLA GELME
OLASILIĞI EN YÜKSEK

Yash
SİRKE KATILMA
OLASILIĞI EN YÜKSEK

Yash
DÜNYA REKORU KIRMA
OLASILIĞI EN YÜKSEK

GREG'DEN

Senin dışında birinin başına gelen en utanç verici şey neydi? **NaNNa okulda çiş yaptı**

HEYYY...

Yediğin en kötü şey neydi? **Jack potatoes**

Işığı söndürdükten sonra kaç adımda kendini yatağa atabiliyorsun? **beş**

Sabah bir saat daha uyuyabilmek için kaç para vermeye razı olurdun? **15 Lira**

birkaç soru

Okula gitmemek için hasta numarası yaptığın oldu mu hiç? **Evet**

ZAVALLICIK!

İNİLTİ!

(YENİ BİLGİSAYAR OYUNU)

İnsanların umursamaz olması sinirlerini tepene çıkarıyor mu? **Evet**

TRA LA LA LA LA!

Kötü bir şey yaptığın halde cezalandırılmadığın oldu mu hiç? **hayır**

Yarım kalmış

Çirkin Eugene

KARİKATÜRLER

Çirkin Eugene

Kendin

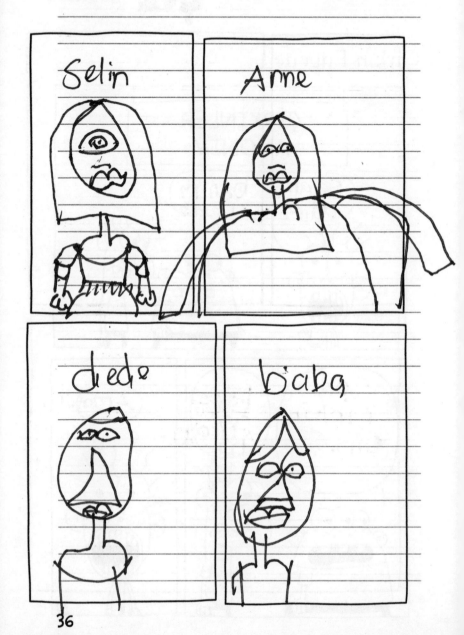

KARIKATÜR
çiz

babcia

Selinin baba

Lara

HANGİSİNİ TER

☐ Küvette uyumak
☒ Anne babanın yatak odasında uyumak

☒ Hayatın boyunca her öğünde aynı yemeyi yemek
☐ Hayatın boyunca aynı TV dizisini izlemek

☒ Görünmez olma gücüne sahip olmak ama her seferinde on saniye
☐ Uçma gücüne sahip olmak ama yerden beş metre yükseklikte?

☒ Bir ay televizyonsuz kalmak
☐ Bir ay internetsiz kalmak

☒ Bütün geceyi perili bir evde geçirmek
☐ Örümceklerle dolu bir nodada bir dakika geçirmek

☐ Çok kötü bir filmde başrol oyuncusu olmak
☒ Güzel bir filmde küçük bir role sahip olmak

☒ Her yıl aynı Cadılar Bayramı kostümünü giymek
☐ Bir hafta boyunca aynı çorapları giymek

☒ Okuldaki yardım kampanyası için komşulara çikolata satmaya çalışmak
☐ Bir ay şeker yememek

☒ Herkesin seni tanıyacağı kadar ünlü olmak
☐ Sakin bir hayat yaşamak, gözlerden uzak olmak

☒ Geleceği görme yeteneğine sahip olmak
☐ Geçmişe gitme yeteneğine sahip olmak

☐ Yıkanmaktan kurtulmak
☒ Ödev yapmaktan kurtulmak

ÇORBA

☐ Dünyanın bütün müziklerine bedava sahip olmak
☒ Dünyanın bütün bilgisayar oyunlarına bedava sahip olma

Gelecek yıl

1. İkinci kattaki tuvaleti kullanma. Çünkü arada doğru dürüst kapılar yok.

2. Kantinde yanına kimin oturduğuna dikkat et.

3. Okul resmin çekilmeden hemen önce burnunu karıştırma.

için öğütler

1. İkinci kattaki tuvaletin kapısı tamir edilecek.

2. Gelecek yıl kantinde en i arkadaşımın yanına oturucam.

3. Gelecek yıl burnumu hiç karıştırmayacam.

4. Gelecek yıl güzel kış olacam.

AİLENİ Greg Heffley'nin

çizeceği gibi çiz

Kendi SOY AĞACIN

Aile geçmişiniz kaç kuşak geri gidebilir?

Çiz

Aşağıya KENDİ soyağacını çiz.

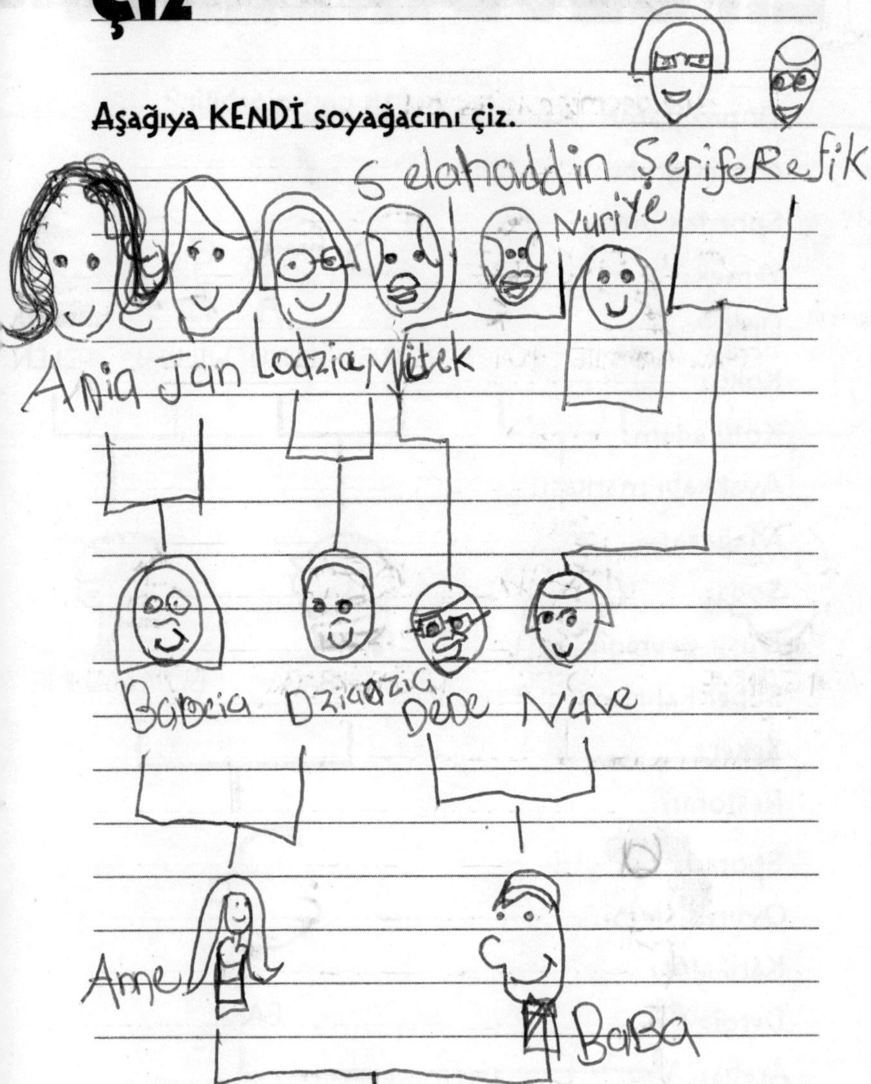

Selahaddin Şerife Refik

Nuriye

Ania Jan Lodzia Mietek

Babcia Dziadzia Dede Nine

Anne Baba

Lara

En SEVDİKLERİN

TV programı: keloğlan
Müzik grubu: hayır
Spor takımı: fenerbahçe
Yemek: hotdog
Ünlü: Atatürk
Koku: Corda
Kötü adam: Trix
Ayakkabı markası: ceox
Mağaza: Disney
Soda: Sanpulegrine
Mısır gevreği: crisps
Süper kahraman: ~~Süper~~ Winx
Şeker: dondurma
Restoran: pamukkale
Sporcu: diego
Oyun sistemi: hayır
Karikatür: benim
Dergi: Winx
Araba: pembe

En SEVMEDİKLERİN

TV programı: pepe

Müzik grubu: hayır

Spor takımı: chelsea

Yemek: domates ve patates ve balık

Ünlü: hayır

Koku: kaka

Kötü adam: huysuz

Ayakkabı markası: hayır

Mağaza: petit batoa

Soda: damla

Mısır gevreği: chips

Süper kahraman: batman

Şeker: hayır

Restoran: hayır

Sporcu: hayır

Oyun sistemi: hayır

Karikatür: dede

Dergi: superman

Araba: mavi

EN GÜZEL

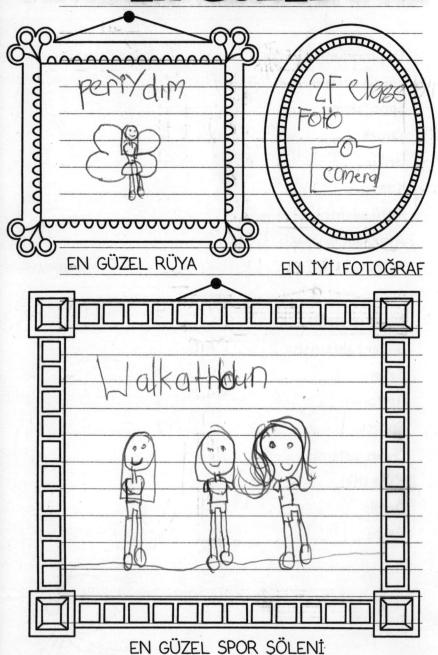

periydim

EN GÜZEL RÜYA

2F class
Foto
O
camera

EN İYİ FOTOĞRAF

Walkathdun

EN GÜZEL SPOR ŞÖLENİ

ANLARINI KAYDET

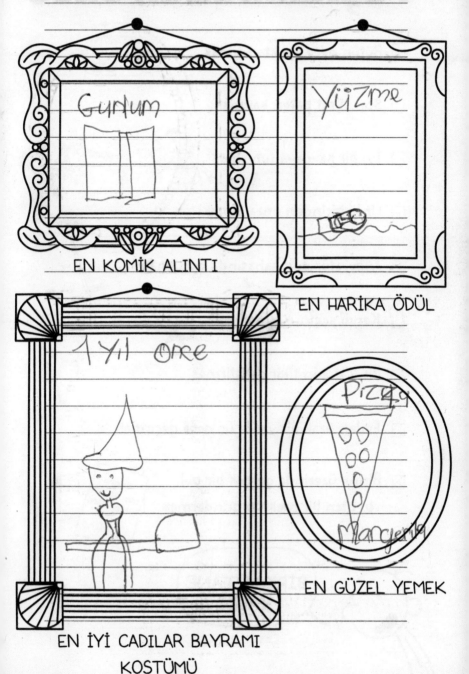

EN KOMİK ALINTI

EN HARİKA ÖDÜL

EN İYİ CADILAR BAYRAMI
KOSTÜMÜ

EN GÜZEL YEMEK

Yaşlanmadan önce

☐ Bütün gece ayakta kalmak

☒ Son sürat paten kaymak

☐ İyi bir kavgaya tutuşmak — THWAP

☒ Ünlü birinden imza almak

☒ Minyatür golf sahasında oynamak

☐ Kendi saçını kesmek

☒ Bir icat için fikir geliştirmek

☐ Evden uzak bir yerde üç gece geçirmek

☒ Birine üzerinde gerçek bir pul, vb. olan bir mektup göndermek

Sevgili büyükanne, lütfen bana para gönder.

BİRKAÇ TANE KALDI

yapman gerekenler

☐ Kampa gitmek

ZZZ

☒ İçinde hiç resim olmayan bir kitabı baştan sona
okumak   ?

☐ Senden yaşça büyük birini
koşuda geçmek

☒ Bir lolipopu hiç ısırmadan yalayarak bitirmek

☐ Portatif tuvalet
kullanmak   TAK TAK   MEŞGUL!

☒ Bir takım oyununda en az bir sayı kaydetmek

☒ Bir yetenek yarışmasına katılmak

HA?

Kendi
ZAMAN KAPSÜLÜNÜ
yap

ZAMAN KAPSÜLÜ

500 YIL AÇMA

Bundan yüzlerce yıl sonra, insanlar senin nasıl yaşadığını merak edecekler. Nasıl giysiler giyiyordun? Neler okuyordun? Eğlenmek için neler yapıyordun?

Gelecekte insanlara senin hakkında bir fikir verecek nesneleri bir kutuya doldur. Kutuya koyacağın şeylerin listesini yap. Sonra da bunu insanların uzun süre kazmayacağı bir yere göm.

1. Filmler

2. giysiler

3. Oyuncaklar

4. günes goz

5. bilezik

6. kitap

7. dis

8. sat

DUYDUĞUN EN GÜZEL ŞAKA

knock knock who's
There boo boo whoo
dont't wory I was
Just Joking

knock knock Whos
there mnm mnm
Who mnmsweet
That eat

Children Just Joking

TAVUK NEDEN CADDEDE KARŞIDAN KARŞIYA GEÇMİŞ?

BULAMADIK, NEDEN?

OF, BİRİNİZ BİLİRSİNİZ SANMIŞTIM!

Seninle ilgili HİÇ KİMSENİN BİLMEDİĞİ beş şey

ÇÜNKÜ HİÇBİR ZAMAN SORMA ZAHMETİNE KATLANMADILAR

1. Kapıyı Çalmadan Girme.

2. Benim Bir Boutique var

3. Okula Oyuncak Getiriyorum

4. Benin Bir secret capord var

5. Ben geçede oynuyurum

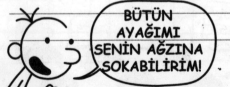

BÜTÜN AYAĞIMI SENİN AĞZINA SOKABİLİRİM!

ÇOK İĞRENÇSİN!

Gördüğün EN KÖTÜ KÂBUS

AiLEN için

1. Sabahları saat sekizden önce benimle konuşmayın.

2. Bir spagetti gecesinde beni küçük kardeşimin yanına oturtmayın.

3. Kapıyı çalmadan odama gitmeyin.

4. Hiçbir koşulda iç çamaşırlarımı ödünç almayın.

56

kurallar

1. şimdi ben uyumak istiyince uyabilirim

2. Baba benimle horşe yapar

3. Ökul yok

4. anne parise gitmaz

ARKADAŞLARINI

Sır tutacağı konusunda
güvendiğin: _Isabella_

Üniversitede iyi bir ev
arkadaşı olacak: _Edoardo_

Seninle giysi alışverişine gelebileceğine
inandığın: _Adelaide_

Saçlarını kesebileceğine
güvendiğin: _Mckenna_

En kötü yalancı: _Parker_

Gaz çıkarıp suçu başkasına
atabilecek: _Gustavo_

Ödünç aldığı bir şeyi geri
vermeyi unutabilecek: _Aurora_

58

DEĞERLENDİR

Issız bir ormanda başının
çaresine bakabilecek: Romana

Senin yerine ödevlerini yap-
masını istediğin: Gabriela

Alçak sesle konuşamayan: alexis

Yumruk yumruğa kavga
etmek istemeyeceğin: Luna

Sizin mahallenizde yaşamasını
istediğin: Lauren

Cesaret gerektiren çılgınca şeyler
yapabilen: shuji

Bu kitabın eline geçmesini
istemediğin : Luna

Sayılarla

Banyo yapmadan geçirdiğin en uzun süre:

3 gün

~~15~~ 5 gün

Bir kerede en fazla kaç kâse mısır gevreği yedin:

2

Aldığın en uzun süreli ceza: 2 hafta

Okula en fazla ne kadar geç kaldın:

~~10 daka~~

yarım saat

Seni kaç kez köpek kovaladı:

1

CİYAK!

Kaç kere evin kapısında kaldın:

1

hayatın

Bir gece içinde en fazla kaç saat boyunca
ödev yaptın:

1 sat

En fazla ne kadar para biriktirdin: £200

Bir kitap özeti ödevi için okuduğun
en kısa kitap kaç sayfaydı:

10 Sayfa

Yürüdüğün en uzun mesafe:

~~K 20 40~~
12 KM

TV izlemeden geçirdiğin en uzun süre:

~~3 hour~~
Bir hafta

Kaç kere burnunu karıştırırken yakalandın:	Kaç kere burnunu karıştırırken yakalanmadın:
2	20

Sayılarla

Bisiklete binmeyi
öğrendiğin yaş

    6 9

Evden uzakta geçirdiğin en
uzun süre

    2 daka →5 gun

Her gün TV izleyerek
geçirdiğin süre

    1 Sat

Hep aynı yaşta kalacak ol-
san kalmayı isteyeceğin yaş

    6

En sevdiğin filmi kaç kez
izledin?

    14

Kaç kez uçağa bindin?   14

Hayatın

Tek bir günde en çok kaç kez
abur cubur yedin?

1

Gittiğin ülke sayısı: 10

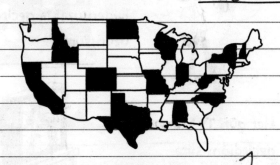

Bir anda en fazla kaç evcil hayvanın   1
oldu?

Bir kerede en fazla kaç
dolgu yaptırdın?

1

Kuyrukta en uzun süre ne kadar   2 Sat
bekledin?

63

Yarım kalmış

Şirincik

" *Anne, kalemim cennete mi gitti?* "

Şirincik

" Anne bu ne? "

KARİKATÜRLER

Şirincik

" baba bu top mu "

Şirincik

" Anne baba narde? "

Kendin

KARİKATÜR çiz

Kendi SLOGANINI Bul

Biliyorsun, bir filmde ya da televizyon programında biri komik bir şey söylüyor. Sonra birden HERKES bunu söylemeye başlıyor. Neden sen de KENDİ sloganını bulup bunu tişörtlere bastırmıyorsun?

BONUS: Başka bir slogan daha bulup bunu da şapkaya bastırabilirsin.

Hafızanı
KAYBEDERSEN....

Filmlerde insanlar kafalarına darbe alıp bayılıyor,
kendilerine geldiklerinde de kim olduklarını ya da
nereden geldiklerini hatırlamıyorlar. Senin başına
da bu gelebilir diye, kendinle ilgili önemli gerçekle-
ri yaz. Böylece hafızanı geri kazanmak konusunda
önemli bir adım atmış olursun!

1. Aara adım mış

2. Benim annem ve
babam varmış

3. bennim arkasım Isabella
von bronk

4. ben pembe cok severim

EN ÇOK KIRMIZI
PİJAMALARIMLA
UYUMAYI
SEVİYORUM!

Başkan seçildiğinde yürürlüğe koyacağın İLK DÖRT YASA

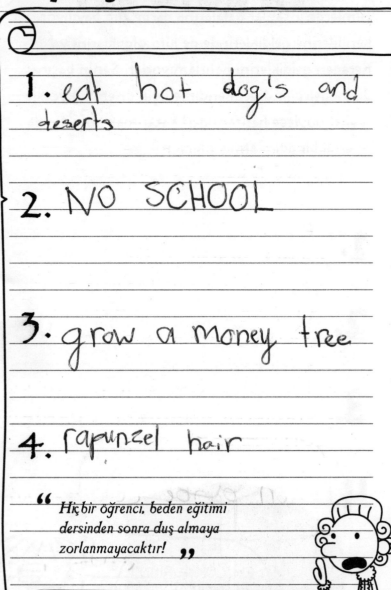

1. eat hot dog's and deserts

2. NO SCHOOL

3. grow a money tree

4. rapunzel hair

" Hiçbir öğrenci, beden eğitimi dersinden sonra duş almaya zorlanmayacaktır! "

Küçükken yaptığın
EN KÖTÜ ŞEY

I poured water on
a classmate because
I wanted a school
seat at my class
nursery.

Abuk Subuk

Çöpten çıkmış yiyecek yedin mi hiç?

EVET ☐ HAYIR ☒

Sence en güzel patates kızartmasını hangi restoran yapıyor?

Five guys

PATATES KIZARTMASI

Bir kez denediğin ve bir daha asla denemeyeceğin şey? patlican

Neyi yapacak kadar cesur olmak isterdin?

amuda kalkmak

Tek bir tatilini seçsen hangisini seçerdin?

malta

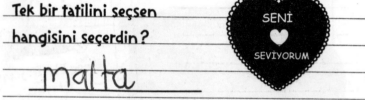

SENİ ♥ SEVİYORUM

SORULAR

Sence bir insan cep telefonuna sahip olmak için en az kaç yaşında olmalı?

10 yaş

Televizyonda izlerken en çok sıkıldığın spor dalı?

trt spor

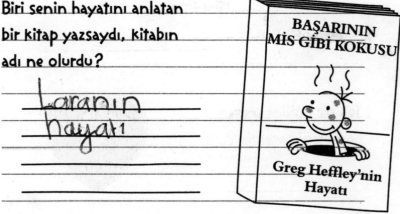

Alışveriş yapmayı en sevdiğin mağaza?

Westfield

Biri senin hayatını anlatan bir kitap yazsaydı, kitabın adı ne olurdu?

Laranın hayatı

BAŞARININ
MİS GİBİ KOKUSU

Greg Heffley'nin
Hayatı

İMZANI çalış

Bir gün ünlü olacaksın, o yüzden... imzanın üzerinde biraz çalışman gerek. Yeni şık imzanı çalışmak için bu sayfayı kullanabilirsin.

Lara tuncer Signiture

Tuncer   Jhn

OTbmmm

YARA BERELERİNİ listele

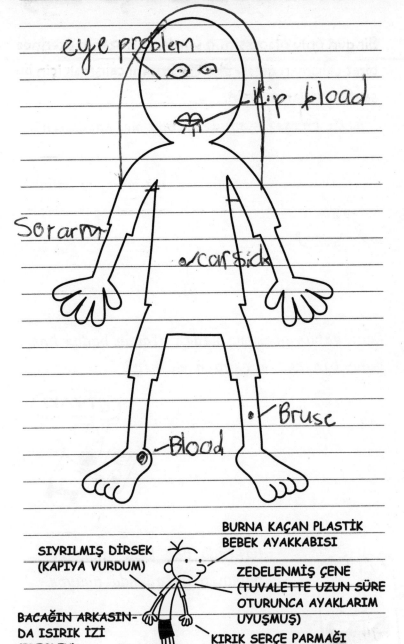

ROWLEY'DEN

Masallardaki tek boynuzlu ata inanır mısın?

O atla karşılaşsaydın, ona ne sorardın?

Gece kâbus görmene neden olacak kadar korkunç bir resim çizdin mi hiç?

CİYAK!

BOO

Haftada kaç kere annenle babanın yatağında uyuyorsun?

birkaç soru

Ayakkabılarını bir yetişkinin yardımı olmadan bağladığın oldu mu hiç?

> AFERİN SANA!

Çilekli ruj yediğin için midenin bulandığı oldu mu?

> AH ROWLEY YİNE Mİ!

> IIIHHH!

Arkadaşların çok yetenekli olduğun için seni kıskanıyor mu?

> TRA LA LA LA LA

YAPAMIYORUM!

Kendi SANDVİÇİNİ

Ünlü olduğunda insanlar bir şeylere senin adını vermek isteyecekler. Hatta birkaç yıl sonra restoranlarda senin adını taşıyan sandviçler bile satılabilir. Sandviçin malzemelerini şimdiden belirleyebilirsin.

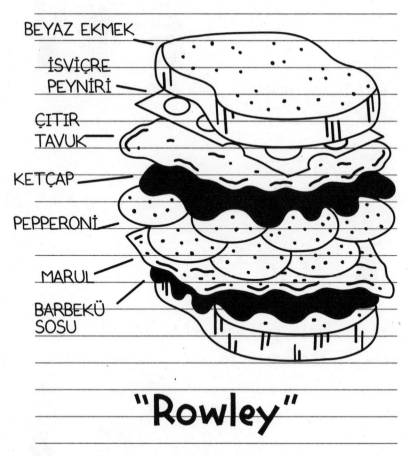

BEYAZ EKMEK

İSVİÇRE PEYNİRİ

ÇITIR TAVUK

KETÇAP

PEPPERONİ

MARUL

BARBEKÜ SOSU

"Rowley"

Tasarla

<u>SEN DE KENDİ SANDVİÇİNİ ÇİZ.</u>

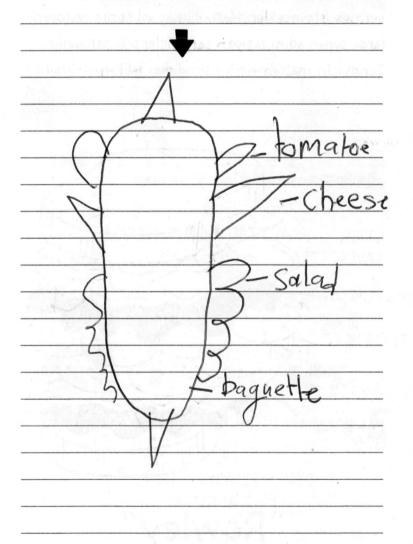

- tomatoe
- cheese
- salad
- baguette

Şimdiye dek yaptığım

1. Okulda "Pijama Günü" olduğunu söyleyen ağabeyime inanmak.

2. Boşu boşuna cesaret göstermek.

3. Boş gazoz şişemi Timmy Brewer'a vermek.

EN BÜYÜK HATALAR

1. I Spilled water on a classmate

2. Call Somebody dum

3. Want to learn piano on a real piano

Kendi SPOR

TAKIMIN ADI: Fenarbache

ŞEHİR: turkeye

SPOR DALI: Futbol

~~LOGO~~: resim

goal!

70

TAKIM MASKOTU: Piego, fan Persie, kite, and more

TAKIMINI yarat

BAŞLANGIÇ TAKIMI:

AD: arsanal   MEVKİ:

1. mckenna
2. tilly
3. Lara
4. Luna
5. mira

ÜNİFORMA:

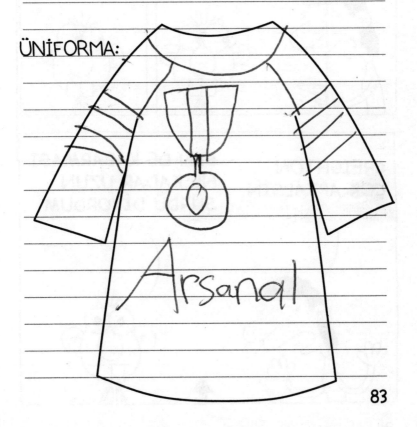

Yarım kalmış

Komedyen Creighton

CREIGHTON, KURABİYENİN DVD OYNATICIDA NE İŞİ VARDI?

AYYY. BEN ONU TOST MAKİNESİ SANMIŞTIM.

CREIGHTON, ÇOK APTALSIN.

BEN DE KABARMASI NE KADAR UZUN SÜRDÜ DİYORDUM.

KARİKATÜRLER

Komedyen Creighton

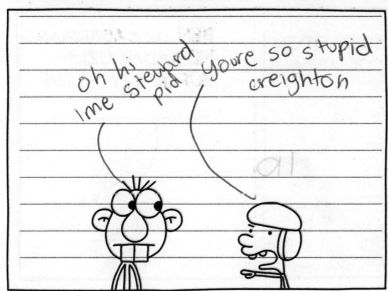

 # Kendin

KARİKATÜR çiz

RODRICK'İN

ZEKÂ ÖLÇER

Bu labirenti çöz ve aptal mı yoksa zeki mi olduğunu anla.

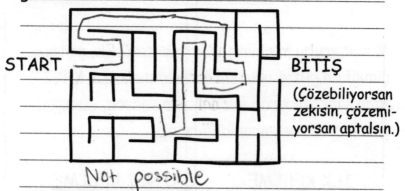

START

BİTİŞ

(Çözebiliyorsan zekisin, çözemiyorsan aptalsın.)

Not possible

Bu cümleyi aynaya tut ve olabildiğince yüksek sesle oku:

BEN SALAKIM.

Aşağıdaki boşluğu doldur:

S: Kim muhteşem?

A: RODR_CK

FAALİYET SAYFALARI

Bu soruya sadece evet ya da hayır diye cevap ver.

S: Bugün altına işediğin için utandın mı?

Müzik grubu mu kurmak istiyorsun? Eh, şanssız, çünkü en güzel isim çoktan alındı. YALI KAYIT. Ama yine de grup kurmak istiyorsan, şu eşleştirmelerden yararlanabilirsin:

İLK KELİME	İKİNCİ KELİME
Beter	Tospa
Tırsak	Sağırtı
İfrit	Küsmük
Kasti	Kazınç
Katli	Patlangaç
Vıcık	Çaldırı

Not: Bu isimlerden birini kullanırsanız, bana yüz papel borçlusunuz demektir.

Kendi MÜZİK

GRUP ADI: DONKEY HEAD

MÜZİK TÜRÜ: ROCK
(ROCK, POP, ETNİK, RAP VS.)

LOGO: →

SOLİST:
Delaney

DAVULCU:
Luca

GİTARİST:
Ela

ELEKTRO GİTAR:
Tills

Elektro piano

Lara

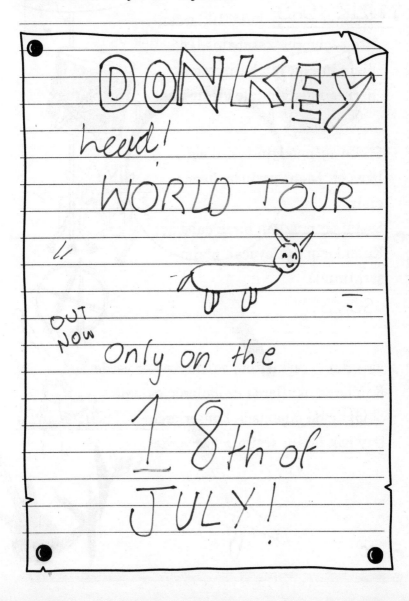

GRUBUNU
Kur

İlk konseriniz için bir afiş tasarla:

Kendi ŞARKINI

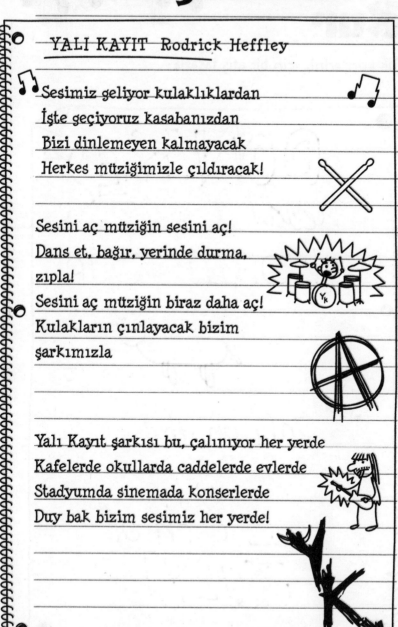

YALI KAYIT Rodrick Heffley

Sesimiz geliyor kulaklıklardan
İşte geçiyoruz kasabanızdan
Bizi dinlemeyen kalmayacak
Herkes müziğimizle çıldıracak!

Sesini aç müziğin sesini aç!
Dans et, bağır, yerinde durma,
zıpla!
Sesini aç müziğin biraz daha aç!
Kulakların çınlayacak bizim
şarkımızla

Yalı Kayıt şarkısı bu, çalınıyor her yerde
Kafelerde okullarda caddelerde evlerde
Stadyumda sinemada konserlerde
Duy bak bizim sesimiz her yerde!

yaz

Kendi TUR OTOBÜ

BİR YOLCULUKTA İHTİYAÇ DUYACAĞIN HER ŞEYİ KOY
YATAK, KANEPE, MUTFAK, BANYO TELEVİZYON
VE DİĞER HER ŞEYİ UNUTMA!

ÜNÜ tasarla

YOLCULUĞU

Davet edilecek insanlar:

★ Adelaide
★ Lauren
★ Alegra
★ Maria
★ Baba
★ Anne

Yanına alınacak şeyler:

CİPS

★ Lots of clothes ★ Diary
★ Unicorn teddy ★ Ipad
★ Chips ★ Blanket
★ Art supplies ★ BOOKS!

Yanında getireceğin müzik:

★ Maroon 5 ★ Sweet but phsycho
  girls like you   Ava Max
★ Justin Bieber ★ Old town road
                          Lil Nax
★ Adele ★
★ Bad guy ★
  Billie Eilish

96

PLANLA

Görülecek yerler:

★ statue of liberty   ★

★   ★

★   ★

★   ★

Rotanı çiz:

SOYUNMA

Bir gün ünlü bir müzisyen ya da film yıldızı olursan, soyunma odanda ihtiyaç duyacağın şeylerin bir listesini yapman gerekecek.

Greg Heffley'nin ihtiyaçları sayfa 1/9

3 litre üzümlü soda

2 en büyük boy karışık pizza

2 düzine damla çikolatalı kurabiye

1 kâse jelibon

1 patlamış mısır makinesi

1 106 ekran plazma TV

3 oyun konsolu ve 10 çeşit oyun

1 dondurma makinesi

10 waffle

1 kadife bornoz

1 çift terlik

Tuvalette ısıtmalı klozet olmalı

Tuvalet kâğıdı iyi marka olmalı

ODASI taleplerin

Listeni şimdiden hazırla ki o büyük gün geldiğinde
hazır olsun.

# ARKADAŞINI

Bu soruları cevapla, sonra aynı soruları arkadaşına sor. Kaç soruya doğru cevap verdiğini bul.

ARKADAŞININ ADI: _____

Arkadaşını araba tuttu mu hiç? _____

Arkadaşın bir ünlü tanısa, bu kim olurdu? _____

Arkadaşın nerede doğmuş? _____

Arkadaşın içtiği süt burnundan gelene kadar güldü mü hiç? _____

Arkadaşının müdürün odasına gönderildiği oldu mu hiç? _____

9-10: ARKADAŞINI KORKUTUCU DERECE İYİ TANIYORSUN.
6-8: FENA DEĞİL. ARKADAŞINI OLDUKÇA İYİ TANIYORSUN.

ne kadar iyi tanıyorsun?

Arkadaşının en sevdiği
abur cubur hangisi? _____

Arkadaşının kemiği kırıldı mı hiç? _____

Arkadaşın en son ne zaman
yatağını ıslattı? _____

Arkadaşın temelli bir hay-
vana dönüşecek olsa, bu
hangi hayvan olurdu? _____

Arkadaşın çaktırmadan
palyaçolardan korkuyor mu? _____

Şimdi doğru cevaplarını say ve sonucu görmek için
aşağıdaki değerlendirmelere bak.

2-5: SİZ YENİ FİLAN MI TANIŞTINIZ?
0-1: YENİ BİR ARKADAŞ BULMANIN ZAMANI

Arkadaşlık

Arkadaşınla uyumlu olup olmadığınızı anlamak ister misin? Önce aşağıdaki çiftlere bak ve hangisini tercih ettiğini işaretle

Testi

Sonra da arkadaşın seçimlerini yapsın. Cevaplarınızın birbirine ne kadar benzediğini değerlendirin!

ZAMAN MAKİNEN

Eğer zamanda geçmişe yolculuk edebilseydin ve geleceği değiştirebilecek olsaydın ama sadece beş dakikan olsaydı, nereye giderdin?

Eğer zamanda geçmişe yolculuk edebilseydin ve tarihte bir olaya tanıklık edebilseydin, bu hangi olay olurdu?

Geçmişte bir zaman diliminde yaşamak zorunda olsaydın, hangi zaman dilimini seçerdin?

olsaydı...

Geçmişe yolculuk edebilsen ve hayatından bir olayı çıkarabilsen, hangi olayı çıkarırdın?

Geçmişe yolculuk edebilsen ve geçmişte kendine bir şey söyleyebilsen, ne söylerdin?

Zamanda geleceğe yolculuk edebilsen ve gelecekteki kendine bir şey söyleyebilsen, ne söylerdin?

BU ÇORAPLARLA ÇOK SALAK GÖRÜNÜYORSUN!

HUF!

Çok şahane

"Tek Ayak Üzerinde Dur" Numarası

BİRİNCİ ADIM: Evden okula giderken, arkadaşınla üç dakika süreyle hiç konuşmadan tek ayak üstünde duramayacağına dair iddiaya gir.

İKİNCİ AŞAMA: Arkadaşın tek ayak üzerinde dururken, yandaki huysuz komşunun kapısını tak tak çal.

ÜÇÜNCÜ AŞAMA: Kaç.

EŞEK ŞAKALARI

ARKADAŞINA YAPTIĞIN BİR ŞAKA:

AİLE BİREYLERİNDEN BİRİNE YAPTIĞIN BİR ŞAKA

ÖĞRETMENİNE YAPTIĞIN BİR ŞAKA

ODANI şu anki

haliyle çiz.

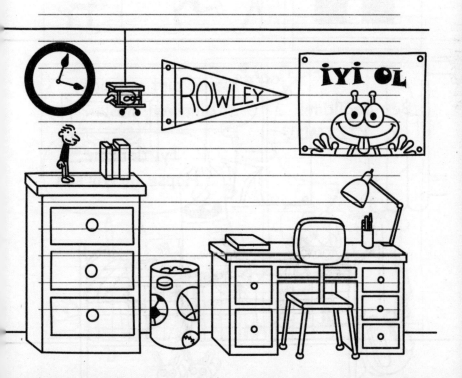

Yarım kalmış

Muhteşem Pırt Polisi

KARİKATÜRLER

Muhteşem Pırt Polisi

Kendin

KARİKATÜR çiz

İCATLAR için en

KOKULU NEFES DEFLEKTÖRÜ

ELEKTRİKLİ FAN

AĞIR İŞ ESNEK KORDONU

BAY HEFFLEY, ÖDEVİNİZ YANINIZDA MI?

HAYVAN ÇEVİRMENİ

KULAKLIK

BİLGİSAYAR BAĞLANTISI

MİKROFON

HAV! HAV! HAV!

MERHABA! MERHABA! MERHABA!

ÇEŞNİ ÇUBUĞU

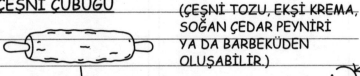

(ÇEŞNİ TOZU, EKŞİ KREMA, SOĞAN ÇEDAR PEYNİRİ YA DA BARBEKÜDEN OLUŞABİLİR.)

PATATES CİPSİ VE ÇEŞNİ TOZUYLA KAPLANMIŞ ÇUBUK

iyi fikirlerin

KENDİ ŞAHANE FİKİRLERİNİ BURAYA YAZ Kİ
BUNLARI HERKESTEN ÖNCE DÜŞÜNDÜĞÜNÜ
KANITLAYABİLESİN.

Kendi AYAKKABILARINI TASARLA

Ünlü sporcular kendileri için özel üretilmiş ayakka-
bılar giyerler. Sen de kişiliğine uygun bir basketbol
ayakkabısı ve spor ayakkabı çiz.

Bahane Bulucu

Ev ödevini yapmayı mı unuttun? Okula geç mi kaldın? Durum ne olursa olsun, işin içinden çıkmak için bu Bahane Bulucu'yu kullanabilirsin. Her sütundan birini seç, olsun bitsin.

ANNEM	YIRTTI	ÖDEVİMİ
KÖPEĞİM	YEDİ	OTOBÜSÜMÜ
AYAK PARMAĞIM	ÜZERİNE BASTI	ODAMI
HİÇ TANIMADIĞIM BİRİ	İNCİTTİ	GİYSİLERİMİ
TUVALET	KIRDI	YEMEĞİMİ
HAMAMBÖCEĞİ	EZDİ	PARAMI

TUVALET
YEMEĞİMİ
İNCİTTİ!

MAHALLENİN

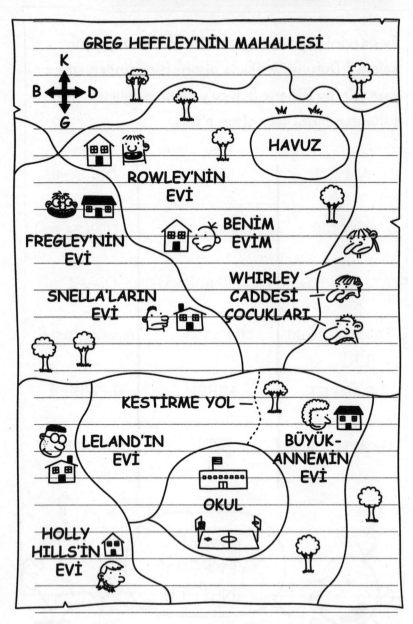

118

haritasını çiz

SENİN MAHALLEN

Kendi

ÖN

İÇ

Sevgili Jean Teyze
Bana ördüğün harika
çoraplar için

TEŞEKKÜR EDERİM.

Ama bir dahaki sefere
nakit çalışabilir miyiz?

KÜT

AY

ÖN

İÇ

Lyndsey ile ayrılmanıza
Üzüldüm

Not: Ona beni "tatlı"
bulup bulmadığını
sorar mısın?

KARTPOSTALLARINI yap

ÖN   İÇ

ÖN   İÇ

Gittiğin EN GÜZEL TATİL

BİLGELİK İNCİLERİ

Ünlü insanlardan ya da tanıdığın kişilerden alıntılar yaz.

BALIKLAR VE MİSAFİRLER ÜÇ GÜNDE KOKAR!

ASLA SARI KAR YEME!

HÖ?

Yarım kalmış

Müthiş Kaykaycılar

KARİKATÜRLER

Müthiş Kaykaycılar

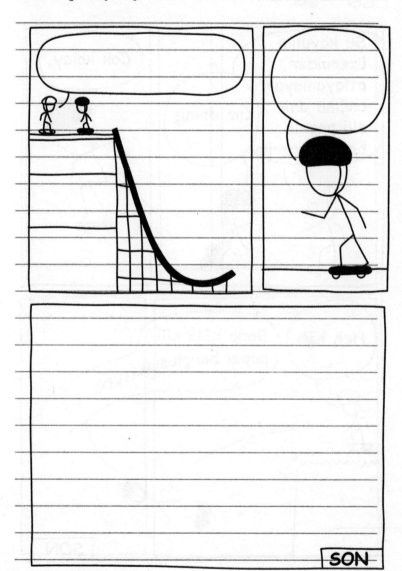

KARİKATÜR çiz

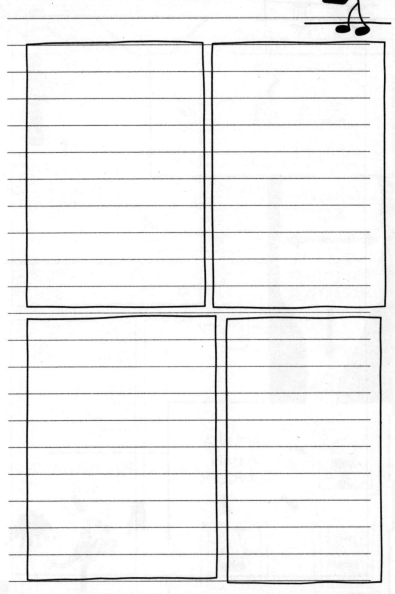

Kendi PERİLİ

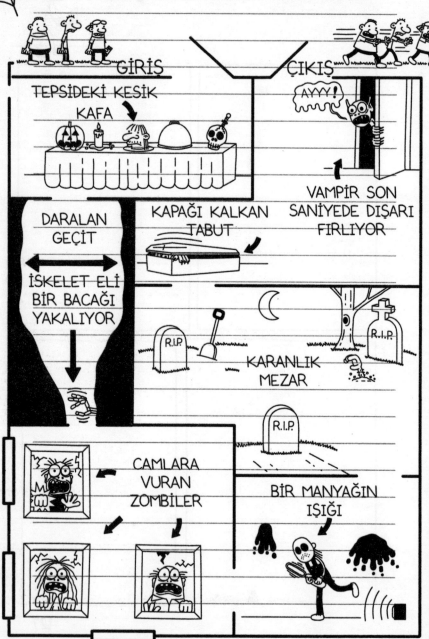

EViNi çiz

SÜPER

Diğer insanların düşüncelerini okuma gücün olsaydı, bu gücü kullanır mıydın?

EVET ☐ HAYIR ☐

ACABA YARA BANDIM O CİPS PAKETİNE Mİ DÜŞTÜ?

KIRT KIRT

CİPS

Bir süper kahraman olsaydın, yardımcın olsun ister miydin?

EVET ☐ HAYIR ☐

İKİNİZE DE BİZİ KURTARDIĞINIZ İÇİN TEŞEKKÜR EDERİZ.

ASLINDA %99'UNU BEN YAPTIM.

R

GÜÇLERİN olsaydı...

Bir süper kahraman olsaydın, kimliğini gizli tutar mıydın?

EVET ☐ HAYIR ☐

GREG, KÜÇÜK JOEY KUYUYA DÜŞTÜ. ONU KURTARMANA İHTİYACI VAR.

YİNE Mİ???

Eğer kapatamasaydın, bir X-ray görüntün olsun ister miydin?

EVET ☐ HAYIR ☐

CİYAK!

ARKADAŞLARINI Greg

Heffley'nin çizeceği gibi çiz

FREGLEY'DEN

Daha sonra yemek için karnına bir şeyler sakladığın oldu mu?

Hayvanlar seninle konuşmak için düşüncelerini kullanıyorlar mı hiç?

Sonsuza dek arkadaş mıyız küçük sincap?

Sonsuza kadar, Fregley.

Rehberlik danışmanın sana hiç "ne yaptığı belli olmayan ve tehlikeli" dedi mi?

SENİN NEREDEN GIDIKLANDIĞINI BULACAĞIMA DAİR BAHSE GİRERİM!"

birkaç soru

Kuyruğun olsaydı, onunla ne yapardın?

Yara kabuğu yedin mi hiç?

"Alt bezi fırlatmaca" oynamak ister misin?

"Hijyen meseleleri" yüzünden okuldan eve gönderildiğin oldu mu?

Herhalde yine doğru dürüst silinmemişsin, Fregley.

Kendi TURNUVANI

Yarışmayı hayal et ve kazananı seç. Şöyle: Önce turnuvan için bir kategori seç. (Film Oyuncuları, Spor Yıldızları, Çizgi Film Karakterleri, Müzik Grupları, Kahvaltılık Yiyecekler, TV Programları vs.)

Sonra aşağıdaki numaralandırılmış çizgilerin her birine bir isim yaz. Sonra her birinin kazananını seç ve bir sonraki tura geçir.

BİRİNCİ TUR

1.

İKİNCİ TUR

2.

ÜÇÜNCÜ TUR

3.

4.

V

yarat

Örneğin kahvaltılık yiyecekler savaşında, mısır gevreğini yumurtaya tercih edebilirsin. Bu durumda mısır gevreğini bir sonraki tura geçir.

```
       MISIR GEVREĞİ
   1.
                        MISIR GEVREĞİ
       YUMURTA
   2.
```

İki isim kalana kadar devam et. Son iki takım karşılaştığında, en iyisinin hangisi olduğunu işaretle. İşte kazanan!

```
                              BİRİNCİ TUR
                                            5.

              İKİNCİ TUR

                                            6.

ÜÇÜNCÜ TUR

S.                                          7.

                                            8.
```

Sözler

ARKADAŞLARINDAN
BU KİTABA
YAZMALARINI İSTE

Sözler

Şu MÜREKKEP LEKELEI

Mürekkep lekelerine bak ve neye benzediklerini yaz. Hayal gücünü kullan! Bu mürekkep lekelerini neye benzettiğin büyük olasılıkla senin kişiliğin hakkında fikir verecek. Ama karar vermek sana bağlı!

DE ne görüyorsun?

TENİS OYNAYAN İKİ KAPLUMBAĞA!

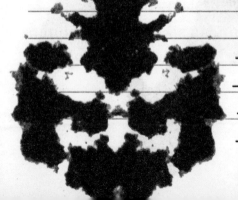

OTOBİYOGRAFİNİN

Birinci Bölüm

ÇOCUKLUK

_____ tarihinde _____'da doğmuşum. Boyum ____, kilom ____ imiş ve _____ benziyormuşum.

İlk birkaç ayımı bol bol _____ ve _____ geçirmişim. _____ olana kadar. Sonunda _____ başlamışım.

Küçük yaşlardan itibaren _____ yeteneğim varmış. Ama _____ yeteneğim olmamış. _____ yemeği severmişim ama ağzıma _____ sürmezmişim.

_____ yaşına girdiğimde, _____ ile yakından ilgilenmeye başlamışım. Ama _____ yaşına girdiğimde bundan sıkılmışım ve bunun yerine _____ geçmişim.

İLK BÖLÜMÜ

Küçükken _____ yapacak kadar cesurmuşum ama _____ çok korkuyormuşum.

Çocukken en iyi arkadaşım _____ imiş. Kendisi şimdi _____ 'da _____ olarak çalışıyor.

Çocukken en değerli varlığım _____ idi. En güzel doğum günü partim _____ yaşımdaydı. _____ bana yeni bir _____ hediye etmişti.

En sevdiğim TV programı _____ idi. Televizyon izlemediğim zamanlarda saatlerce _____ ile uğraşırdım.

Küçükken herkes bana bir gün _____ olacağımı söylerdi. _____ olacağım kimin aklına gelirdi ki?

ANNECİM OLAMAZ! Yazan: Rowley

YEŞİL FASULYE

Gareth

yazan: Fregley

Gareth, birdenbire yeşil fasulyeye dönüşen sıradan bir öğrencidir.

Gareth
(gerçek boyu)

Gareth'in sınıf arkadaşları sürekli onun üzerine basıyorlar çünkü çok küçük.

> Hey, yerime oturmuşsun.

> Üzerinde adını göremedim.

> Ama birazdan üzerinde küçük, yeşil bir leke olacak.

Gareth sporda elinden geleni yapıyor ama pek şansı yok.

> Burnumdan sarkan şeye bakın, millet!

> Bana elini sürme sakın!

HA HA HA

HA HA HA

KOMEDYEN CREIGHTON

Yazan: Greg Heffley

EVET,
İŞTE İLK ŞAKAM: TAK TAK

KİM O?

DİLENCİ CREIGHTON...
KOMİK DEĞİL Mİ?

HAYIR,
HİÇ KOMİK DEĞİL.
TAK TAK ŞAKASI
BÖYLE OLMAZ Kİ...

BANA KOMİK
GELMİŞTİ.

PEKİ, BAŞKA BİR ŞAKA BULDUM.
BİR KERESİNDE...
BİR TAVUK...
KARŞIDAN KARŞIYA...
ÖF, GALİBA KARIŞTIRDIM...

İĞRENÇ ŞAKALAR
YAPIYORSUN!

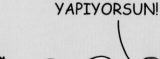

♥ **KIZLAR IŞ BAŞINDA!**

Yazan:
Tabitha Cutter ve
Lisa Russel

JEROME

İNANILMAZ
KIRMIZI DUDAKLARI
Olan Adam

YAZAN: GREG HEFFLEY

JEROME SPOR SALONUNDA

HEY, RUJ SÜREREK NE YAPTIĞINI SANIYORSUN SEN?

RUJ DEĞİL Kİ. BENİM DUDAKLARIM ÇOK KIRMIZI!

BENİMLE KAFA MI BULUYOSUN SEN?

HINK!

PATRONUN EVİNDE YEMEK

JEROME'UN YENİ İŞİ

MUHTEŞEM PIRT POLİSİ

Yazan: Greg Heffley

MEZUNLARI TEBRİK EDERİZ!

Seninle gurur duyuyoruz, Joey!

Teşekkürler, Lydia Teyze!

Sarıl

Ay!

Pırt

PIRT POLİSİ

Tutuklusun!

Ama benim suçum değildi! Teyzem bana çok sıkı sarıldı!

Onu hakime anlatırsın artık!

PIRT POLİSİ

Eller havaya!

Umumi tuvaletlerde serbestçe pırt yapılabildiğini sanıyordum!

Yasalara karşı gelmenin mazereti olamaz!

GELECEK HAFTA: PIRT POLİSİ FABRİKADA

Çirkin Eugene

Yazan: Greg Heffley

Aslında adım sadece "Eugene."

Sadece "Çirkin" olmalıydı.

Hönk!

Hey, hanımlar, ne var ne yok?

Sen çirkin olduğun için bir şey yok.

Ha ha ha.

Alo anne, benim çirkin olduğumu düşünüyor musun?

Hayır oğlum, çok çirkin olduğunu düşünüyorum.

Oofff!

Lanet olsun, çirkin olmaktan bıktım. Bu konuda bir şey yapıcam.

Belki yüzündeki kirlerden kurtulmakla başlayabilirsin.

Ha ha ha!

AKSİYON SAVAŞÇILARI Yazan: Rowley

DİNOZOR CREIGHTON

SAYFAYI ÇEVİR

Yeşil Fasulye Gareth

GARETH'İN İNTİKAMI

Yazan: Fregley

Bir gün postadan Gareth için bir mektup çıkar.

Bu da ne?

Sevgili Gareth
Yeşilwarts* Büyücülük
Okulu'na katılmaya
hak kazandın!

*Bunun Hagwarts Büyücülük Okulu ile hiçbir ilgisi yok!

Alın bakalım!

AYYYYYYYYYYYY!

POF!

Hmmm....

Değerli
Yazan: Eldridge Perro

Ofis
Yazan: Bert Salas

Ah, Dedecim!
Yazan: Beverly Bliss

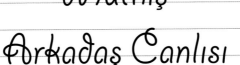

Müthiş Arkadaş Canlısı Bir Çocuğun

GÜNLÜĞÜ

Yazan: Rowley Jefferson

Sevgili Günlük

Bugün bütün harçlığımı Greg'e hediye al-
mak için harcadım. O benim dünyadaki en
iyi arkadaşım, ben de ikimizin birlikte
takabileceğimiz bir kolye aldım.

Ama meğer Greg takı sevmezmiş. Ben yine
de kendime ait olan yarıyı takacağım.

Belki de Greg cumartesi gecesi onlarda
kaldığımda yaptığım şey yüzünden bana
hâlâ kızgındır.

Beni kendisinin diş tellerini denerken yakaladı ve on dakika boyunca bağırdı.

Bazen Greg bana kızıyor ve kötü isimler takıyor. Ama ben buna çok fazla aldırmıyorum. Nasıl olsa müthiş, arkadaş canlısı biri olduğumu biliyorum. Annemle babam hep öyle söylüyorlar.

Sevgili Günlük,

İyi ki Greg en iyi arkadaşım çünkü bana okulla ilgili ipuçları veriyor. Mesela bugün okulda kızlarla erkeklerin soyunma odalarının tabelalarının yanlış asıldığını söyledi.

Meğer Greg'in kafası karışmış.

Ben de müdürün odasına gönderildim. Sonra da Greg'i buldum ve ona tabelaların yanlış asılmadığını söyledim.

Greg sık sık böyle hatalar yapıyor. Geçen yıl da bana ertesi günün okulda pijama günü olduğunu söylemişti. Meğer yanılıyormuş.

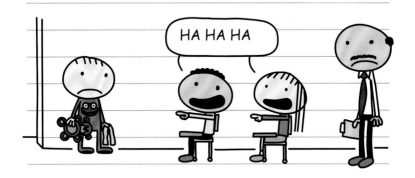

Neyse ki Greg pijama giymeyi unutmuş. Böylece rezil olmaktan kurtuldu.

Bazen Greg'in canı sıkkın oluyor ama ben onu neşelendirmek için bir şeyler yapıyorum...

Herhalde Gregl'e benim ne kadar iyi insanlar olduğumuzu ve sonsuza dek

olacağımızı anlamışsınızdır.

Kendi KAPAĞINI YARAT

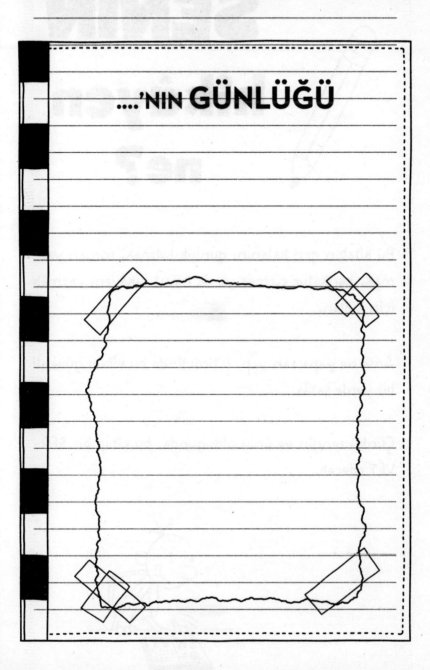

....'NIN GÜNLÜĞÜ

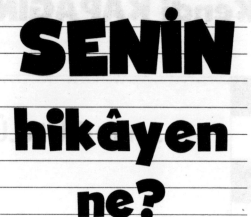

SENİN hikâyen ne?

Bu kitabın geri kalanını günlük tutmak, roman yazmak, karikatür çizmek ya da hayat hikâyeni yazmak için kullan.

Ama ne yaparsan yap, bitirdiğinde bu kitabı güvenli bir yerde sakla.

Çünkü zengin ve ünlü olduğunda, bu kitap bir SERVET edecek.

GÜVENLİK